하루 한 장 60일 집중 완성

교과도형

초1

A1

여러 가지 입체 모양

에듀히어로 Edu HERO

"진짜 히어로는 우리 아이들입니다!"

에듀히어로는
우리 아이들이 밝고 건강한 내일을 꿈꿀 수 있도록
긍정적이고 효과적인 교육 서비스를 제공하는 것을
최우선 목표로 하고 있습니다.

그 존재만으로도 든든한 히어로처럼 아이들의 곁에서 힘이 되어주고,
나아가 아이들 각자가 스스로의 인생 속 히어로가 될 수 있도록

우리는 진심과 열정을 다해 아이들과 함께 할 것을 약속 드립니다.

☕ **네이버 카페**
교재 상세 소개와 진단 테스트
및 유용하게 풀 수 있는
학습 자료를 다운로드 해 보세요.

📷 **인스타그램**
에듀히어로 인스타그램을
팔로우하시면 다양한 이벤트와
신간 소식을 빠르게 만나보실
수 있습니다.

💬 **카카오톡 채널**
자녀 수학 공부 상담 및
자유로운 질문을 남겨 주세요.
함께 고민하고
답변해 드리겠습니다.

히어로컨텐츠 HEROCONTENS

발행일: 2023년 1월　　　　**발행인**: 이예찬

기획개발: 두줄수학연구소

디자인: 4BD STUDIO　　　　**삽화**: 1000DAY

발행처: 히어로컨텐츠

주소: 서울특별시 금천구 서부샛길 632, 7층(대륭테크노타운5차)

전화: 02-862-2220　　　　**팩스**: 02-862-2227

지원카페: cafe.naver.com/eduherocafe　　　　**인스타그램**: @edu__hero

하루 한 장 60일 집중 완성 교과도형은

달라진 교과서와 학교 수업 진도에 맞추어 학습자가 체계적으로 도형을 학습할 수 있도록 안내합니다.

이전의 도형 학습이 도형의 정의와 성질을 외우고, 도형의 측정결과를 계산하는 '결과' 중심의 학습이었다면 지금의 도형 학습은 공간에 대한 이해와 해석(공간감각)을 바탕으로 모양을 인식하고 변화를 유추하고 다양한 방법으로 도형을 측정하고 그 결과를 표현하는 '과정' 중심의 학습입니다.

교과도형은 수학교육의 변화와 핵심을 이해하고 올바른 방향을 제시해 주는 든든한 길잡이가 될 것입니다.

하루 한 장 60일 집중 완성 교과도형은

① 공간감각 ② 도형표현 ③ 도형측정을 중심으로 교과서에서 다루는 모든 도형을 체계적으로 학습합니다.

공간감각

도형을 효과적으로 학습하기 위해서는 공간을 이해하고 해석하는 능력, 즉 '공간감각'이 필요합니다.

공간감각은 경험과 상상력을 바탕으로 머릿속에서 도형을 조작하고 결과를 유추하는 능력입니다. 공간감각은 단시간에 길러지지 않으므로 어릴 때부터 꾸준하게 학습하고 구체적인 경험을 쌓는 것이 중요합니다.

'교과도형'의 각 권 마지막에 있는 '도형플러스'는 각 권의 학습목표와 연계하여 공간감각을 한 단계 더 높여줄 수 있는 내용으로 구성하였습니다.

도형표현

공간에 존재하는 도형은 표현되었을 때 더 큰 의미를 가집니다.

- 삼각형을 찾는 것에서 그치지 않고 다양한 삼각형을 직접 그려 보고 왜 삼각형인지 설명하는 것
- 쌓기나무로 만든 모양을 위치와 방향을 이용하여 설명하는 것
- 도형을 여러 가지 기준과 특징에 따라 분류하고 왜 그렇게 분류했는지 설명하는 것
- 도형을 위·앞·옆에서 바라보고 그 모습을 그림으로 표현하는 것 등이 모두 '도형표현'입니다.

'교과도형'은 도형과 관련한 작은 그림에서부터 서술형 문장제까지 도형을 표현하는 다양한 방법을 효과적으로 학습합니다.

도형측정

측정은 도형과 아주 밀접한 관계가 있으므로 도형을 학습하면서 반드시 함께 다루어야 하는 영역입니다.

길이, 각도, 둘레, 넓이, 부피 등 흔히 '도형' 영역이라 생각하는 것이 사실 초등 교육과정에서는 '측정' 영역에 해당합니다. 사각형을 학습하는 것은 도형이지만 사각형의 둘레와 넓이를 구하는 것은 측정입니다. 각의 종류를 학습하는 것은 도형이지만 각도를 재는 것은 측정입니다. 이처럼 길이, 각도, 둘레, 넓이, 부피 등은 결국 도형을 측정하는 것입니다.

'교과도형'은 교과서의 모든 '도형' 영역을 다루었습니다. 여기에 도형과 반드시 연계하여 학습해야 하는 '측정' 영역을 추가로 다루어 더욱 완성된 도형 학습을 할 수 있도록 도와줍니다.

하루 한 장 60일 집중 완성 교과도형은

7세부터 6학년까지 총 7단계 21권(단계별 3권)으로 구성되어 있으며 각 권은 매일 한 장씩 4주간 체계적으로 학습할 수 있습니다.

1권, 20일

2권, 20일

3권, 20일

대 상	단 계	구 성
7세 ~ 1학년	P	P1, P2, P3
1학년	A	A1, A2, A3
2학년	B	B1, B2, B3
3학년	C	C1, C2, C3
4학년	D	D1, D2, D3
5학년	E	E1, E2, E3
6학년	F	F1, F2, F3

교과도형의 각 단계는 1, 2, 3권을 차례대로 학습합니다.

교과도형, 한 권이면 충분합니다

교과도형은 공간감각, 도형표현, 도형측정을 중심으로 교과서에서 다루는 모든 도형을 학습하고,
공간감각 향상을 위한 '도형플러스'와 학습 결과를 확인하는 '형성평가'를 제공합니다.

1 주차별 학습

공간감각

도형 학습의 바탕이 되는
공간감각을 길러줍니다.

[체크 박스]
문제를 해결하는 데 도움이
되는 정보를 제공합니다.

도형표현

다양한 그림과 문장제로
도형을 표현하는 방법을
배웁니다.

[개념 포인트]
학습할 때 꼭 필요한 기본
개념을 설명합니다.

도형측정

도형 학습에 필수적인 측정
을 도형과 연계하여 학습합
니다.

2 도형플러스

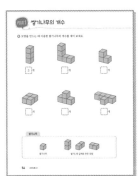

각 권의 학습 주제와
연계하여 공간감각을
더욱 향상시킵니다.

3 형성평가

학습한 내용을 다시 한 번
복습하고 정리합니다.

이 책의
차례

모양 구분하기

알맞은 모양에 ◯표 하세요.

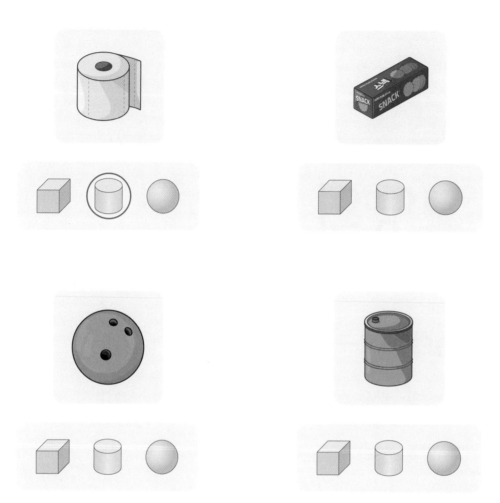

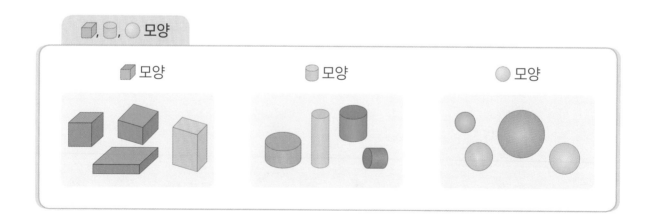

🔟 주어진 모양과 같은 모양에 ◯표 하세요.

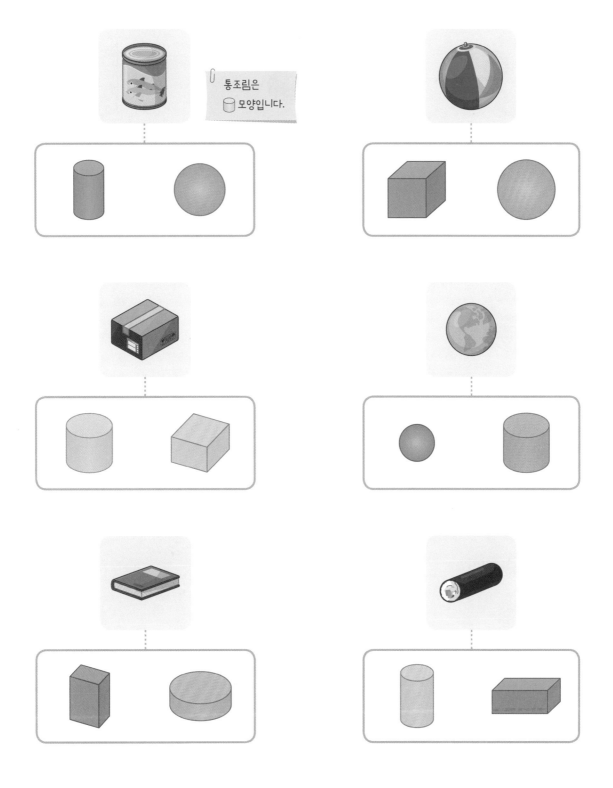

통조림은
🥫 모양입니다.

쌓을 수 있는 모양

💬 쌓을 수 있는 것에 ○표, 쌓을 수 없는 것에 ✕표 하세요.

(   )

(   )

(   )

(   )

(   )

(   )

모양 쌓기

🔷 모양	🔵 모양	⚪ 모양
(○)	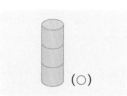 (○)	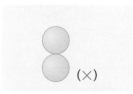 (✕)
평평한 부분만 있어서 잘 쌓을 수 있습니다.	세워서 평평한 부분으로 쌓으면 쌓을 수 있습니다.	둥근 부분만 있어서 쌓을 수 없습니다.

11 쌓을 수 있는 모양의 개수를 세어 보세요.

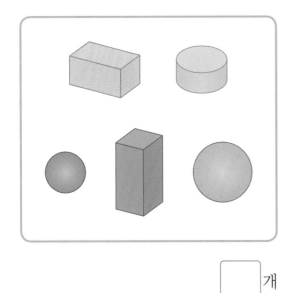

$\boxed{}$ 개

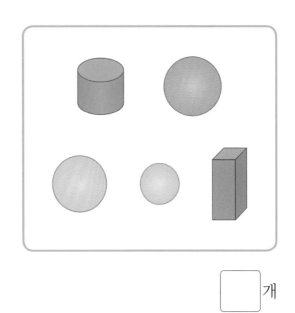

$\boxed{}$ 개

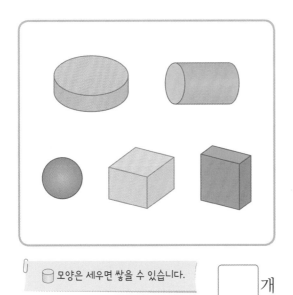

모양은 세우면 쌓을 수 있습니다.

$\boxed{}$ 개

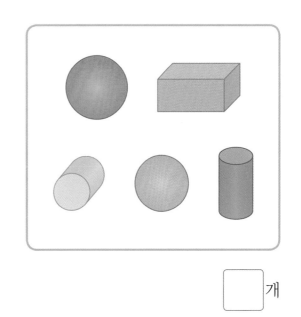

$\boxed{}$ 개

굴러가는 모양

💬 잘 굴러가는 것에 ◯표, 잘 굴러가지 않는 것에 ✕표 하세요.

(   )

(   )

(   )

(   )

(   )

(   )

모양 굴리기

🧊 모양	🥫 모양	⚪ 모양
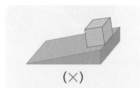	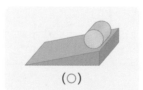	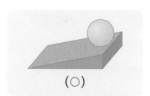
(✕)	(◯)	(◯)
평평한 부분만 있어서 잘 굴러가지 않습니다.	눕혀서 둥근 부분으로 굴리면 잘 굴러갑니다.	둥근 부분만 있어서 어느쪽으로도 잘 굴러갑니다.

잘 굴러가는 모양의 개수를 세어 보세요.

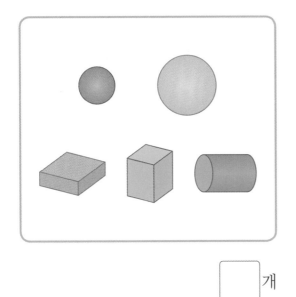

☐ 개

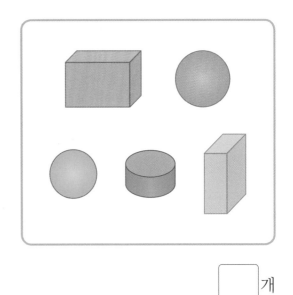

☐ 개

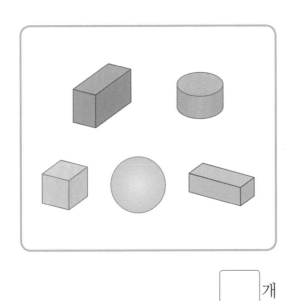

☐ 개

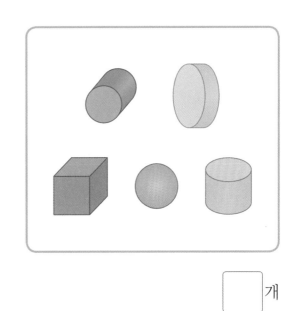

☐ 개

모양의 특징

💬 모양의 특징을 따라 선을 그어 보세요.

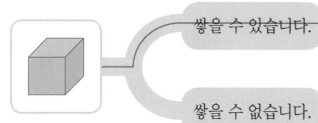

쌓을 수 있습니다.

잘 굴러갑니다.

쌓을 수 없습니다.

잘 굴러가지 않습니다.

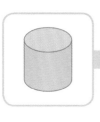

쌓을 수 있습니다.

잘 굴러갑니다.

쌓을 수 없습니다.

잘 굴러가지 않습니다.

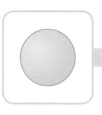

쌓을 수 있습니다.

잘 굴러갑니다.

쌓을 수 없습니다.

잘 굴러가지 않습니다.

11 알맞은 모양을 찾아 이어 보세요.

평평하고 뾰족한 부분이 있습니다. •

둥근 부분만 있고, 평평한 부분은 없습니다. •

평평한 부분과 둥근 부분이 모두 있습니다. •

잘 굴러가고 쌓을 수도 있습니다. •

잘 굴러가지만 쌓을 수는 없습니다. •

쌓을 수 있지만 잘 굴러가지 않습니다. •

📖 물음에 답하세요.

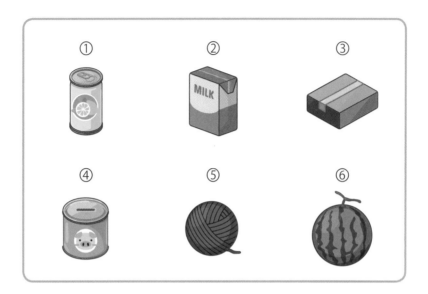

평평한 부분만 있는 것의 번호를 모두 써 보세요.

②, ☐

 평평한 부분만 있는 것은 🔲 모양입니다.

둥근 부분만 있는 것의 번호를 모두 써 보세요.

☐, ☐

평평한 부분과 둥근 부분이 모두 있는 것의 번호를 모두 써 보세요.

☐, ☐

물음에 답하세요.

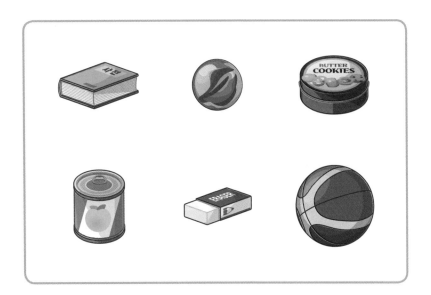

쌓을 수 있는 것은 모두 몇 개일까요?
[ ]개

잘 굴러가는 것은 모두 몇 개일까요?
[ ]개

쌓을 수 있지만 잘 굴러가지 않는 것은 모두 몇 개일까요?
[ ]개

④ 알맞은 모양에 ◯표 하세요.

버스의 바퀴는 어떤 모양일까요?

버스가 잘 움직이
려면 바퀴는 어떤
모양이어야 할까요?

평평한 부분의 수가 가장 많은 모양은 무엇일까요?

🔲, 🔵, ⚫ 모양을 한 줄로 높이 쌓으려고 합니다. 가장 위쪽에 놓아야 하는
모양은 무엇일까요?

같은 모양 모으기

💬 같은 모양끼리 모은 것에 ◯표 하세요.

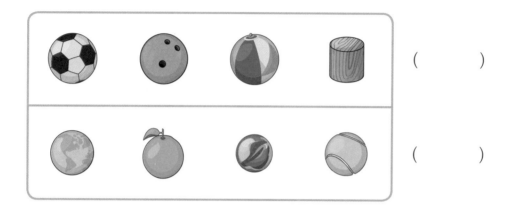

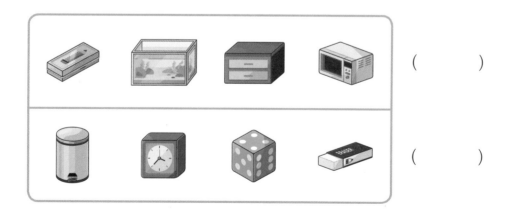

같은 모양끼리 모으려고 합니다. 같은 모양 **3**개를 찾아 각각 ◯표 하세요.

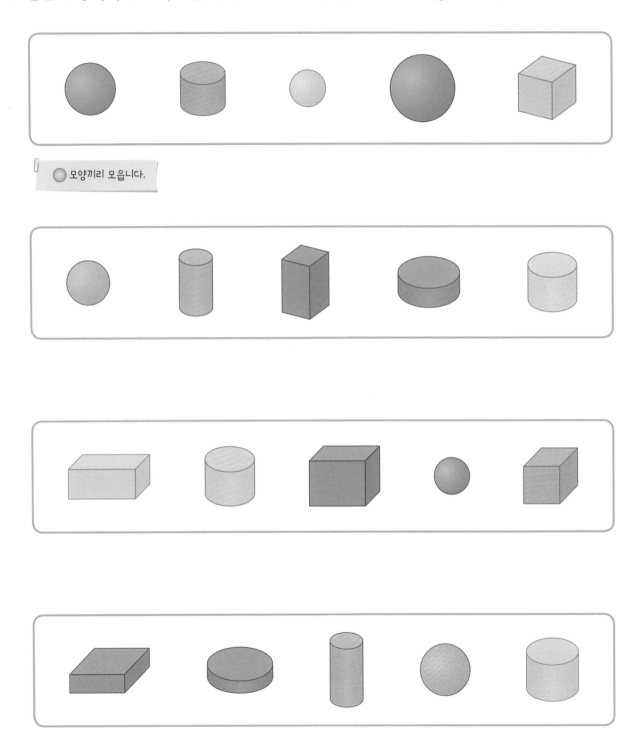

◯ 모양끼리 모읍니다.

같은 특징 모으기

알맞은 특징끼리 모은 것에 ◯표 하세요.

쌓을 수 있는 모양

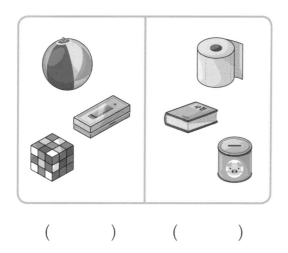

(   )   (   )

잘 굴러가는 모양

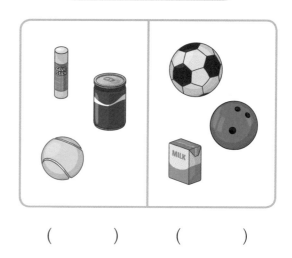

(   )   (   )

둥근 부분이 있는 모양

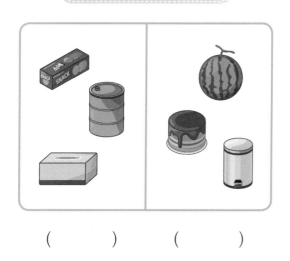

(   )   (   )

뾰족한 부분이 있는 모양

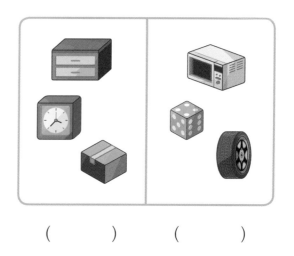

(   )   (   )

특징이 같은 것끼리 모읍니다. 주어진 특징의 모양 **3**개를 찾아 각각 ◯표 하세요.

평평한 부분이 있는 모양

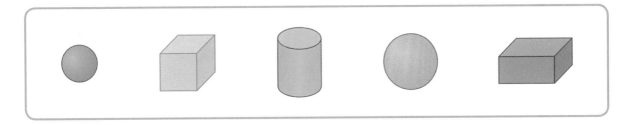

잘 굴러가는 모양

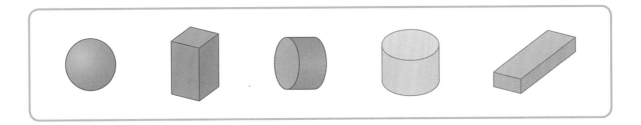

쌓을 수 있는 모양

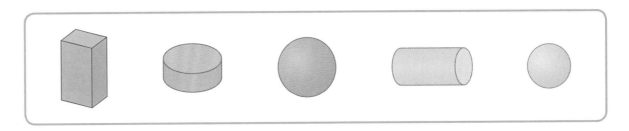

모양에 따른 분류

모양에 따라 분류합니다. 빈칸에 알맞게 번호를 써넣으세요.

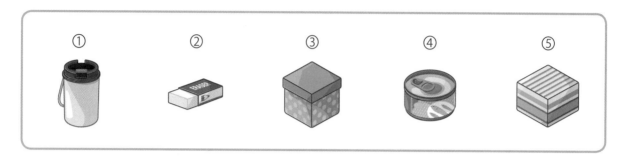

⬜ 모양	⬛ 모양
②,	

기준에 따라 나누는 것을 분류라고 합니다.

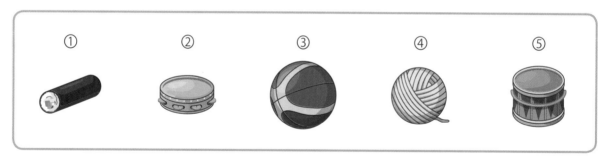

⬛ 모양	⚪ 모양

11 모양에 따라 분류했습니다. 잘못 분류한 모양을 I개씩 찾아 각각 ✕표 하세요.

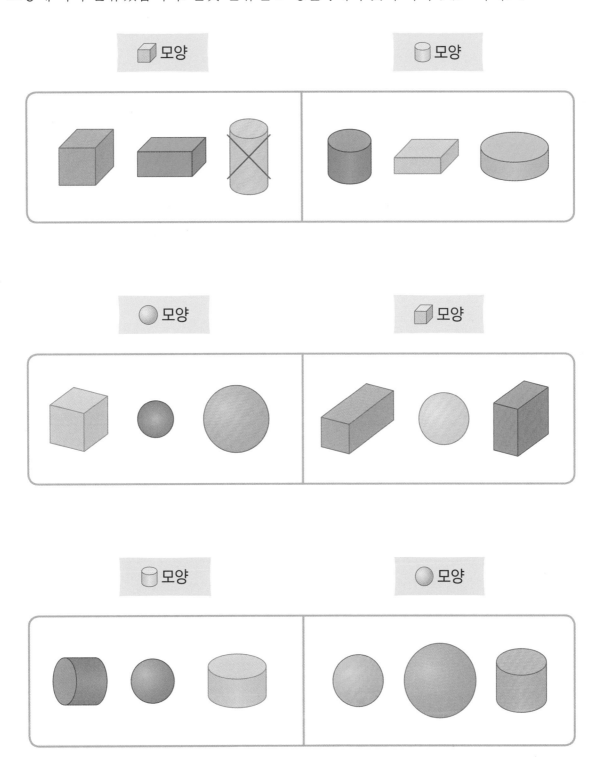

특징에 따른 분류

💬 특징에 따라 분류합니다. 빈칸에 알맞게 번호를 써넣으세요.

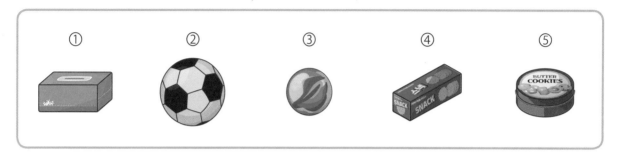

쌓을 수 있는 것	쌓을 수 없는 것

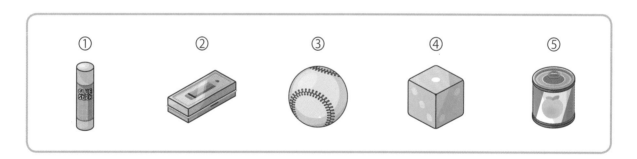

잘 굴러가는 것	잘 굴러가지 않는 것

특징에 따라 분류했습니다. 잘못 분류한 모양을 1개씩 찾아 각각 ✕표 하세요.

평평한 부분이 있는 것

평평한 부분이 없는 것

잘 굴러가는 것

잘 굴러가지 않는 것

쌓을 수 있는 것

쌓을 수 없는 것

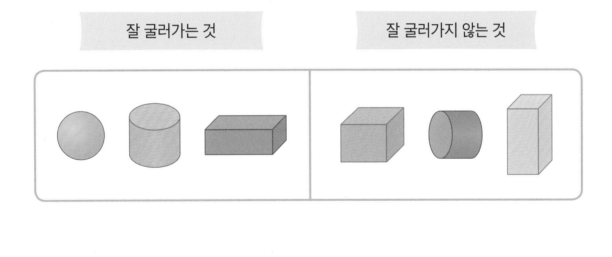

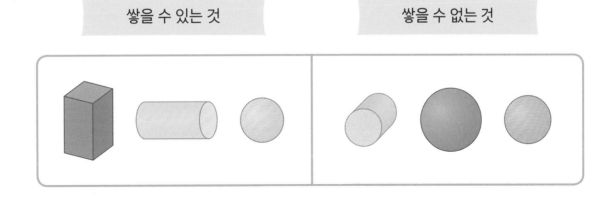

2주_모양 분류 **27**

여러 가지 기준

💬 여러 가지 기준으로 분류합니다. 빈칸에 알맞게 번호를 써넣으세요.

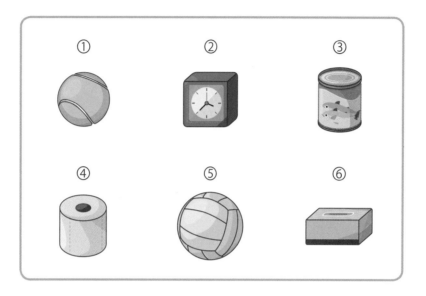

평평한 부분	평평한 부분이 있는 것	평평한 부분이 없는 것

둥근 부분	둥근 부분이 있는 것	둥근 부분이 없는 것

뾰족한 부분	뾰족한 부분이 있는 것	뾰족한 부분이 없는 것

여러 가지 기준으로 분류합니다. 빈칸에 알맞게 번호를 써넣으세요.

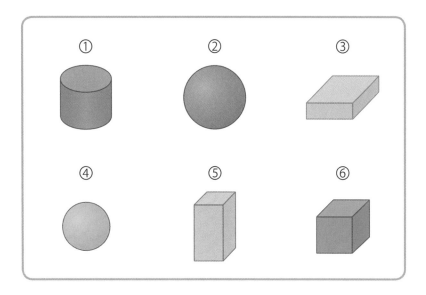

쌓기

쌓을 수 있는 것	쌓을 수 없는 것

굴리기

잘 굴러가는 것	잘 굴러가지 않는 것

모양

⬛ 모양	⬤ 모양	⚫ 모양

설명에 맞는 모양을 찾아 점선을 따라 그려 보세요.

둥근 부분만 있어서 어느쪽으로도 잘 굴러갑니다.

📎 ⬛, ⬤ 모양은 평평한 부분이 있습니다.

쌓을 수도 있고 잘 굴러가기도 합니다.

잘 굴러가려면 눕혀서 둥근 부분으로 굴려야 합니다.

쌓을 수 있는 모양으로 뾰족한 부분이 있습니다.

평평한 부분이 없어서 쌓을 수 없습니다.

둥근 부분이 없어서 잘 굴러가지 않습니다.

3주차
11~15일

모양 만들기

🔟 모양별로 몇 개씩 이용했는지 세어 보세요.

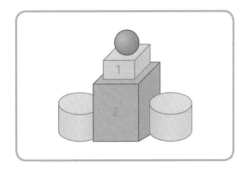

모양: **2** 개

모양: [ ] 개

모양: [ ] 개

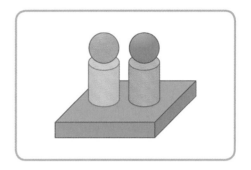

모양: [ ] 개

모양: [ ] 개

모양: [ ] 개

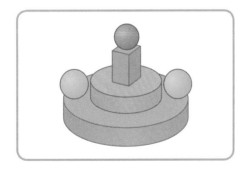

모양: [ ] 개

모양: [ ] 개

모양: [ ] 개

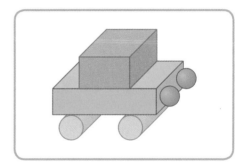

모양: [ ] 개

모양: [ ] 개

모양: [ ] 개

⑪ 모양별로 몇 개씩 이용했는지 세어 보세요.

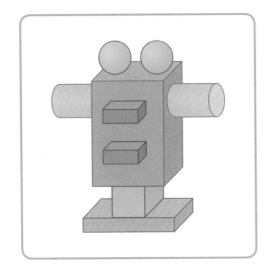

🟦 모양: ☐ 개

🔵 모양: ☐ 개

⚪ 모양: ☐ 개

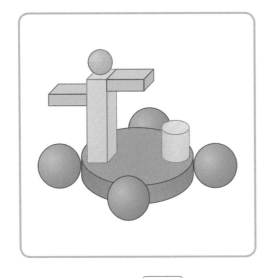

🟦 모양: ☐ 개

🔵 모양: ☐ 개

⚪ 모양: ☐ 개

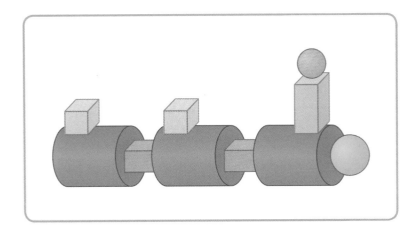

🟦 모양: ☐ 개

🔵 모양: ☐ 개

⚪ 모양: ☐ 개

모양의 개수 (2)

🔲 주어진 개수만큼의 모양을 이용하여 만든 모양에 ◯표 하세요.

모양: 2개
모양: 2개
모양: 1개

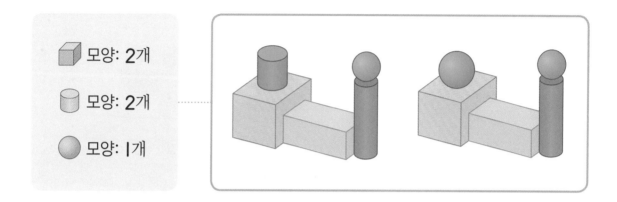

모양: 1개
모양: 2개
모양: 2개

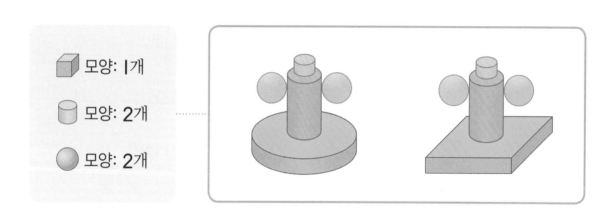

모양: 1개
모양: 3개
모양: 2개

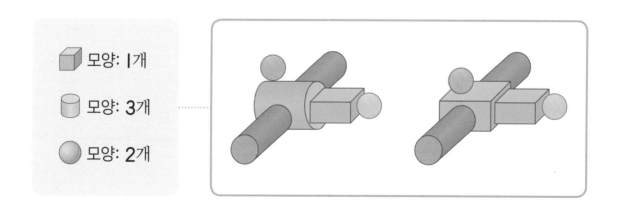

주어진 개수만큼의 모양을 이용하여 만든 모양에 ◯표 하세요.

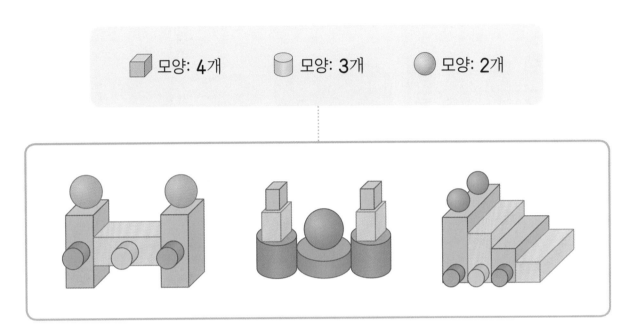

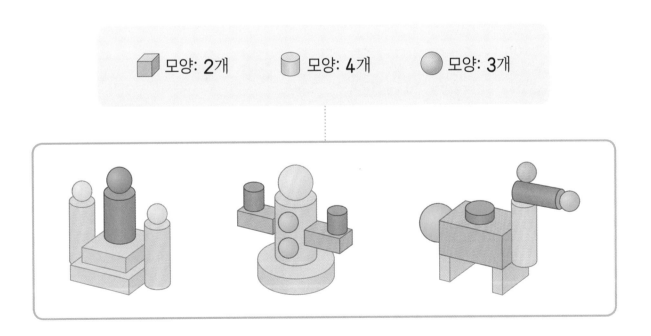

이용한 블록

⑪ 주어진 블록을 모두 이용하여 만든 모양에 ◯표 하세요.

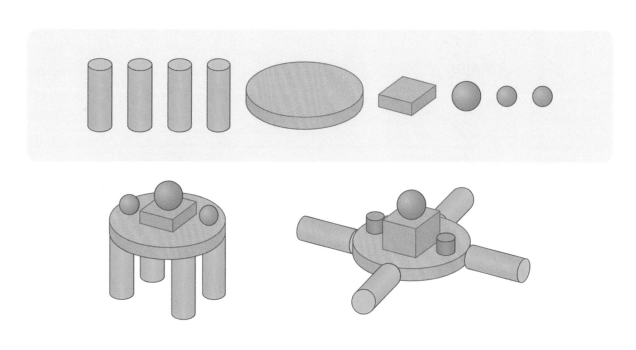

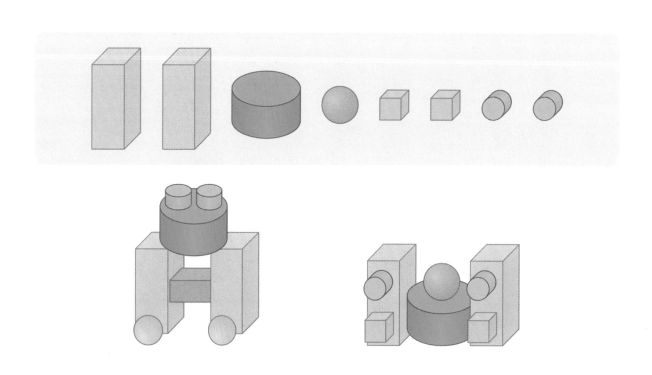

💬 왼쪽 모양을 만드는 데 이용하지 않은 블록에 ✕표 하세요.

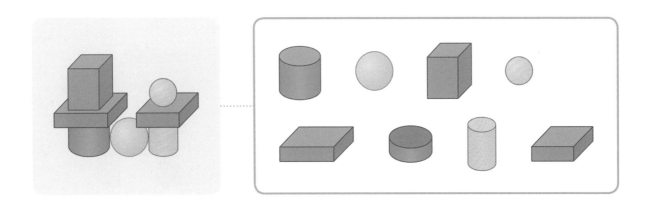

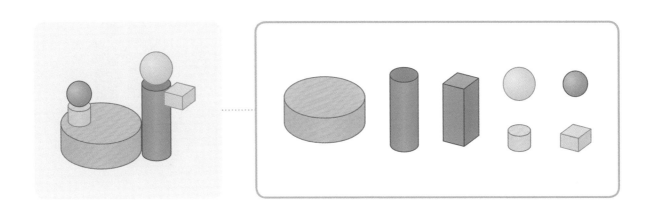

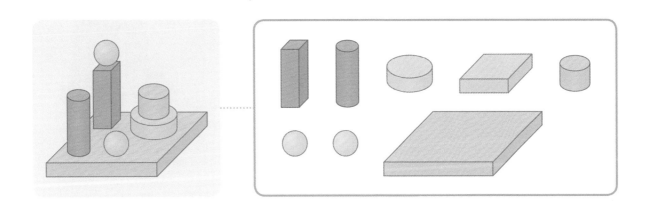

💬 주어진 블록을 모두 이용하여 만든 모양을 찾아 이어 보세요.

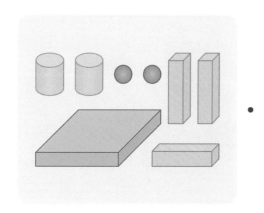

•

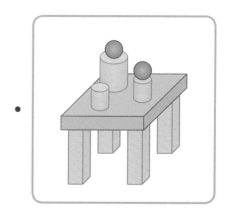

•

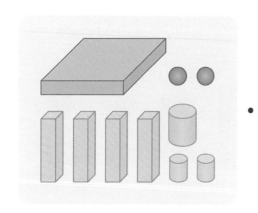

•

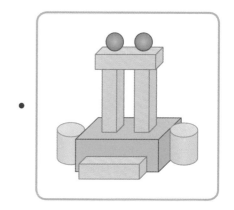

•

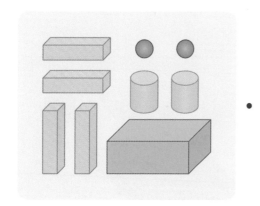

•

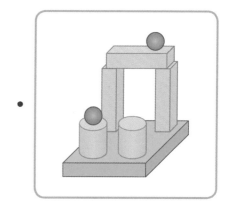

•

두 그림에서 다른 곳을 **3**군데 찾아 오른쪽 그림에 ◯표 하세요.

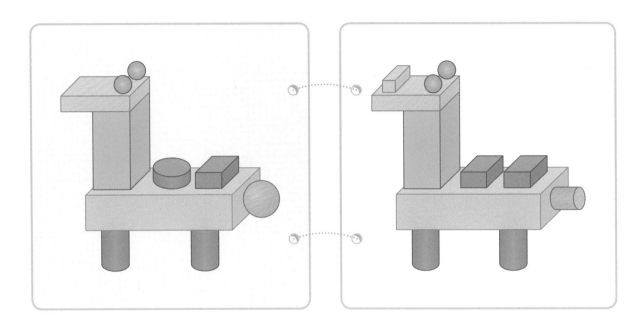

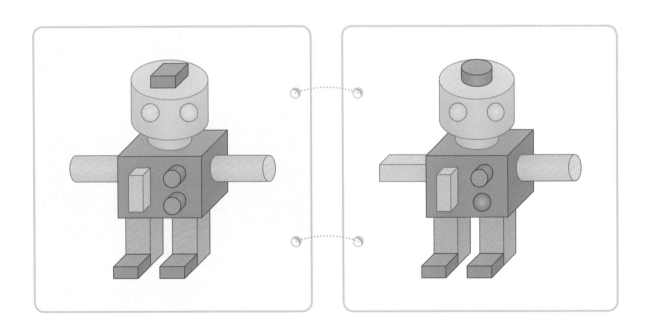

💬 물음에 답하세요.

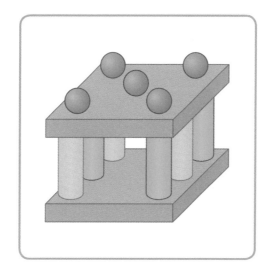

모양을 만드는 데 모양은 몇 개 이용했나요?

☐ 개

모양을 만드는 데 ⚫ 모양은 몇 개 이용했나요?

☐ 개

모양을 만드는 데 가장 많이 이용한 모양에 ○표 하세요.

💬 물음에 답하세요.

모양을 만드는 데 ⚪ 모양은 몇 개 이용했나요? ☐ 개

모양을 만드는 데 🥫 모양은 몇 개 이용했나요? ☐ 개

모양을 만드는 데 가장 적게 이용한 모양에 △표 하세요.

하은이와 민재가 만든 모양입니다. 물음에 답하세요.

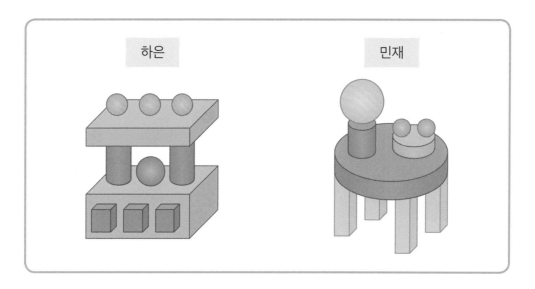

하은   민재

⬛ 모양을 더 많이 이용한 사람은 누구인가요?   (   )

🛢 모양을 더 많이 이용한 사람은 누구인가요?   (   )

하은이는 민재보다 ⚪ 모양을 몇 개 더 많이 이용했나요?   (   )개

두 사람이 이용한 ⚪ 모양의 개수를 각각 세어 봅니다.

4주차

16~20일

모양의 위치

16일 두 모양의 위치

🔲 알맞은 말에 ◯표 하세요.

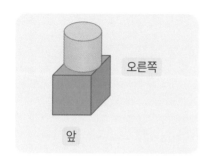

🟦 모양 (위 , 아래)에 🔵 모양이 있습니다.

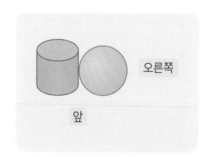

🔵 모양 (왼쪽 , 오른쪽)에 🔵 모양이 있습니다.

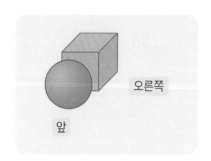

🔵 모양 (앞 , 뒤)에 🟦 모양이 있습니다.

모양의 위치

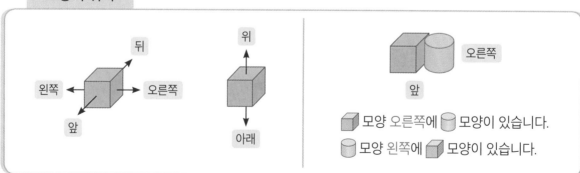

🟦 모양 오른쪽에 🔵 모양이 있습니다.
🔵 모양 왼쪽에 🟦 모양이 있습니다.

44 교과도형_A1

11 설명에 맞는 모양에 ◯표 하세요.

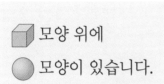

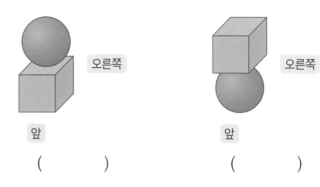

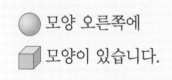

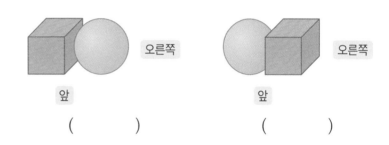

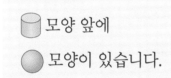

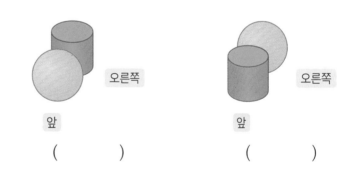

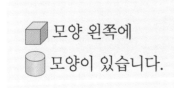

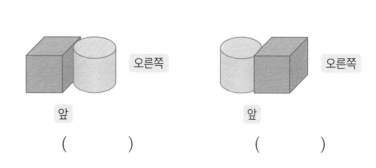

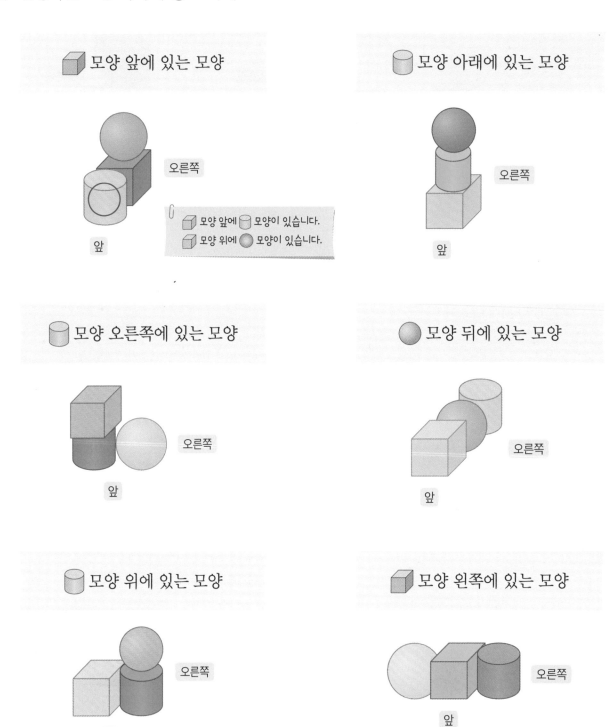

17일 세 모양의 위치

설명하는 모양 하나에 ◯표 하세요.

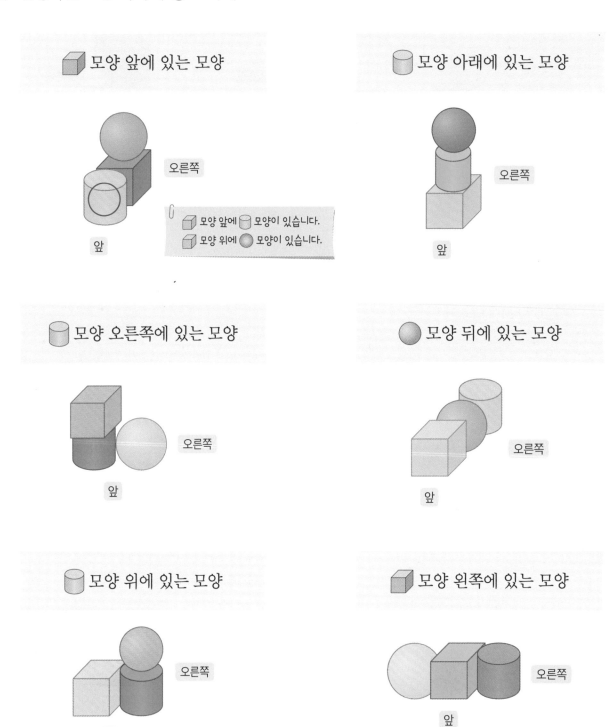

💬 설명하는 모양 하나에 색칠해 보세요.

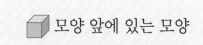
모양 앞에 있는 모양

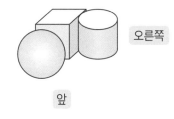

오른쪽

앞

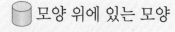
모양 위에 있는 모양

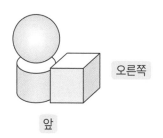

오른쪽

앞

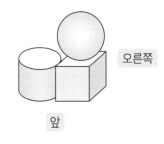
모양 왼쪽에 있는 모양

오른쪽

앞

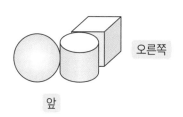
모양 뒤에 있는 모양

오른쪽

앞

모양 아래에 있는 모양

오른쪽

앞

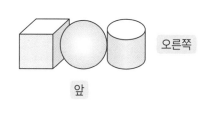
모양 오른쪽에 있는 모양

오른쪽

앞

위치 나타내기

🟠 알맞은 말에 ◯표 하세요.

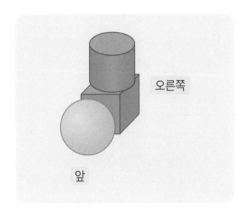

🟦 모양 (앞 , 뒤)에 ⚪ 모양이 있습니다.

🟦 모양 (위 , 아래)에 🛢 모양이 있습니다.

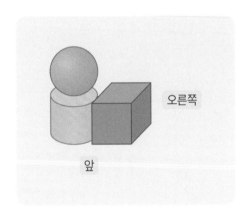

🛢 모양 (위 , 아래)에 ⚪ 모양이 있습니다.

🛢 모양 (왼쪽 , 오른쪽)에 🟦 모양이 있습니다.

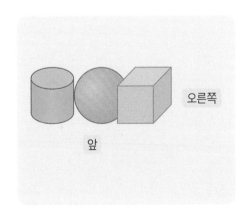

⚪ 모양 (왼쪽 , 오른쪽)에 🟦 모양이 있습니다.

⚪ 모양 (왼쪽 , 오른쪽)에 🛢 모양이 있습니다.

주어진 말 중에서 알맞은 말을 골라 빈칸에 써넣으세요.

왼쪽	오른쪽	위	아래	앞	뒤

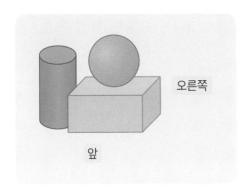

🔲 모양 [   ]에 🛢 모양이 있고,

🔲 모양 [   ]에 ⚪ 모양이 있습니다.

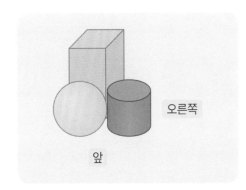

⚪ 모양 [   ]에 🔲 모양이 있고,

⚪ 모양 [   ]에 🛢 모양이 있습니다.

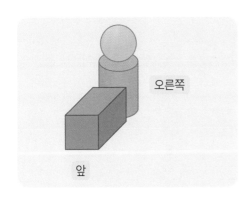

⚪ 모양 [   ]에 🛢 모양이 있고,

🛢 모양 [   ]에 🔲 모양이 있습니다.

모양 설명하기 (1)

💬 알맞은 말에 ◯표 하세요.

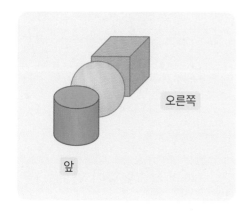

◯ 모양 앞에 (▨ , 🥫) 모양이 있고,

◯ 모양 뒤에 (▨ , 🥫) 모양이 있습니다.

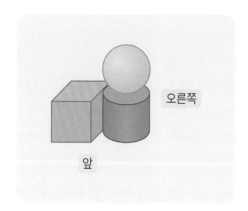

🥫 모양 위에 (◻ , ⬤) 모양이 있고,

🥫 모양 왼쪽에 (◻ , ⬤) 모양이 있습니다.

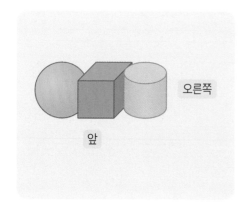

◻ 모양 오른쪽에 (🥫 , ⬤) 모양이 있고,

◻ 모양 왼쪽에 (🥫 , ⬤) 모양이 있습니다.

11 알맞게 이어 보세요.

•

•

🔵 모양 뒤에 🟦 모양이 있고, 🟦 모양 오른쪽에 🟫 모양이 있습니다.

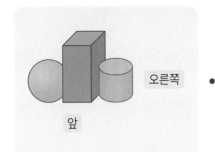

•

•

🔵 모양 아래에 🟫 모양이 있고, 🟫 모양 아래에 🟦 모양이 있습니다.

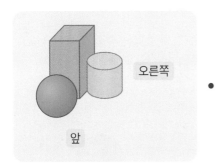

•

•

🟫 모양 왼쪽에 🟦 모양이 있고, 🟦 모양 왼쪽에 🔵 모양이 있습니다.

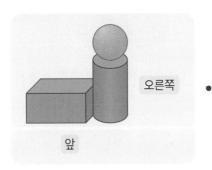

•

•

🟦 모양 오른쪽에 🟫 모양이 있고, 🟫 모양 위에 🔵 모양이 있습니다.

🙂 설명대로 만든 모양에 ◯표 하세요.

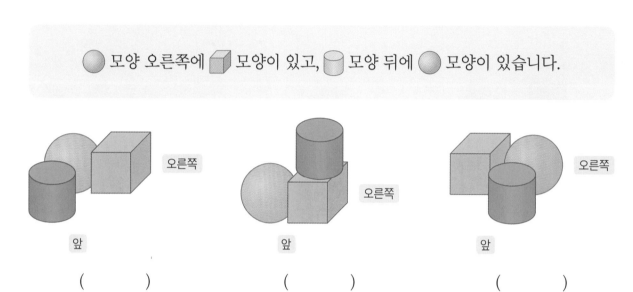

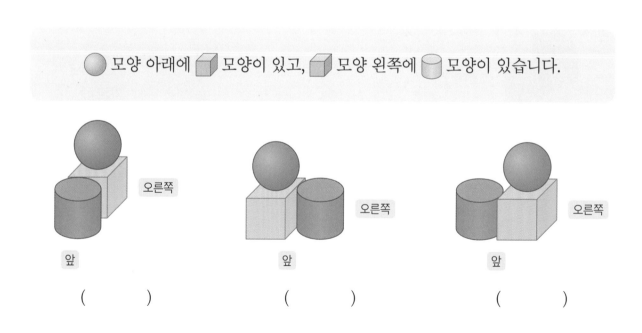

⑪ 알맞게 이어 보세요.

○ 모양 아래에 ▱ 모양이
있고, ▱ 모양 오른쪽에 ▯
모양이 있습니다.

•

•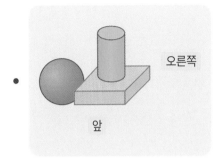
오른쪽
앞

▱ 모양 왼쪽에 ○ 모양
이 있고, ○ 모양 앞에 ▯
모양이 있습니다.

•

•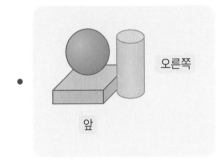
오른쪽
앞

○ 모양 오른쪽에 ▯ 모양
이 있고, ▯ 모양 뒤에 ▱
모양이 있습니다.

•

•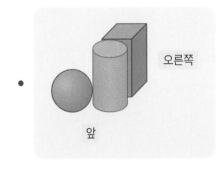
오른쪽
앞

▯ 모양 아래에 ▱ 모양이
있고, ▱ 모양 왼쪽에 ○
모양이 있습니다.

•

•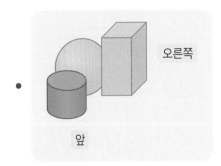
오른쪽
앞

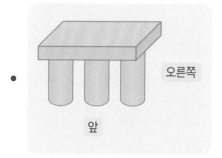

알맞게 이어 보세요.

▦ 모양 3개를 나란히 놓고, ▱ 모양 위에 ⬤ 모양을 각각 1개씩 놓습니다.　　　•

•　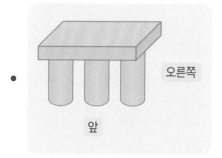

🫙 모양 3개를 나란히 놓고, 그 위에 ▱ 모양 1개를 놓습니다.　　　•

•　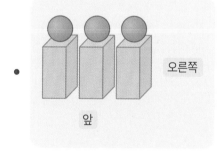

▦ 모양 왼쪽에 🫙 모양을 놓고, ▱ 모양 위에 ⬤ 모양 2개를 놓습니다.　　　•

•

🫙 모양 위에 ⬤ 모양 2개를 놓고, 🫙 모양 오른쪽에 ▦ 모양을 놓습니다.　　　•

•　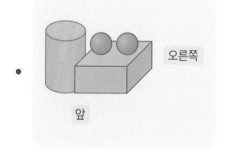

도형 플러스 +

- 쌓기나무 -

쌓기나무의 개수

▶ 모양을 만드는 데 이용한 쌓기나무의 개수를 세어 보세요.

3 개

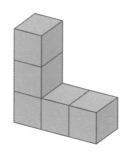

☐ 개

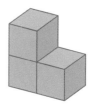

☐ 개

☐ 개

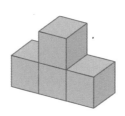

☐ 개

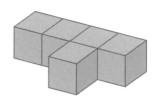

☐ 개

쌓기나무

쌓기나무

쌓기나무 2개로 만든 모양

▶ 쌓기나무를 이용한 개수가 다른 모양 하나에 △표 하세요.

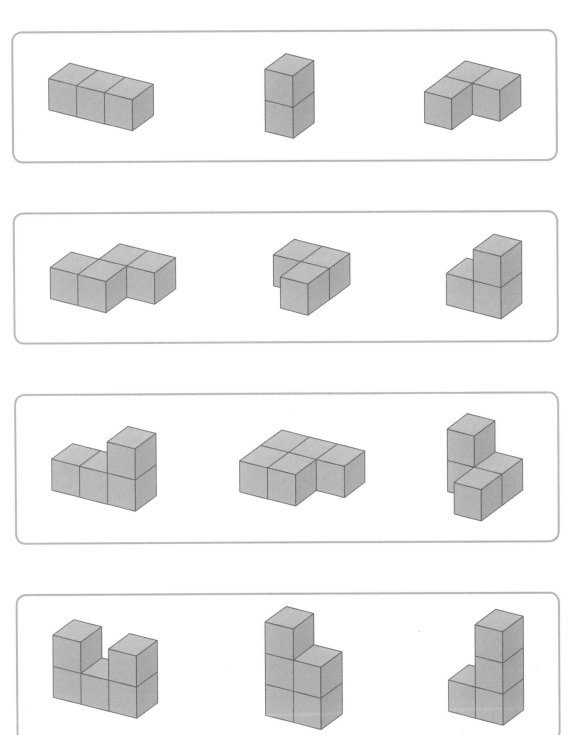

똑같이 만들기

위쪽 모양에서 쌓기나무 1개를 더 쌓았습니다. 더 쌓은 쌓기나무에 ○표 하세요.

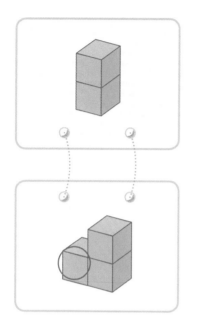

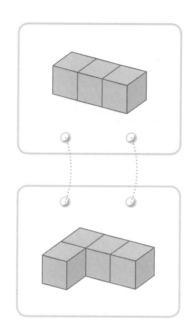

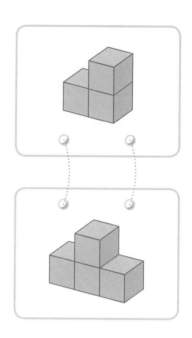

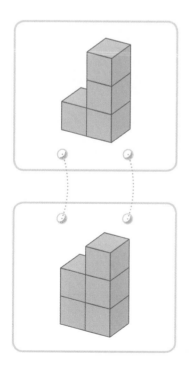

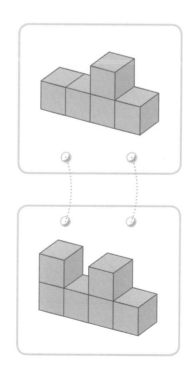

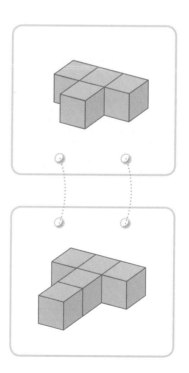

왼쪽 모양에서 쌓기나무 **2**개를 더 쌓았습니다. 더 쌓은 쌓기나무에 각각 ○표 하세요.

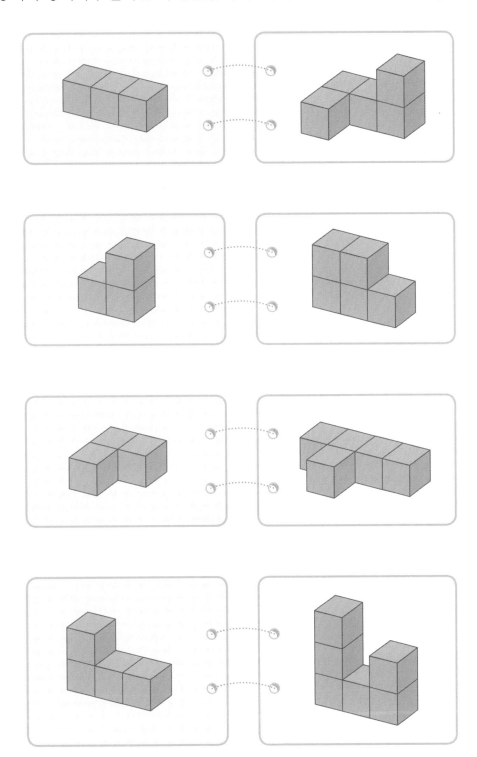

쌓기나무 그리기

▶ 쌓기나무로 만든 모양을 똑같이 그려 보세요.

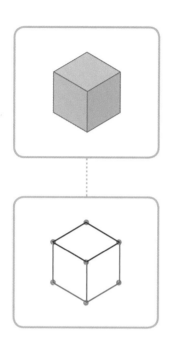

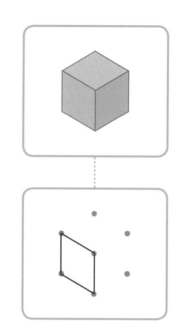

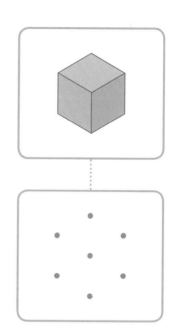

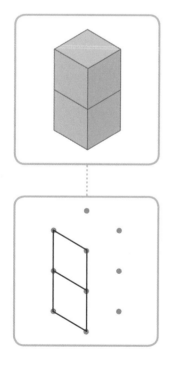

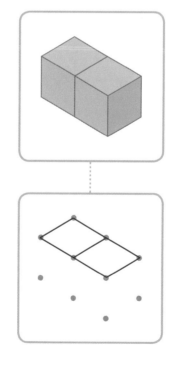

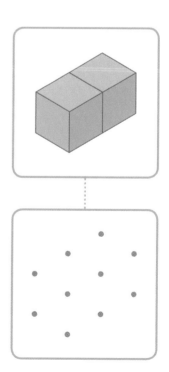

쌓기나무로 만든 모양을 똑같이 그려 보세요.

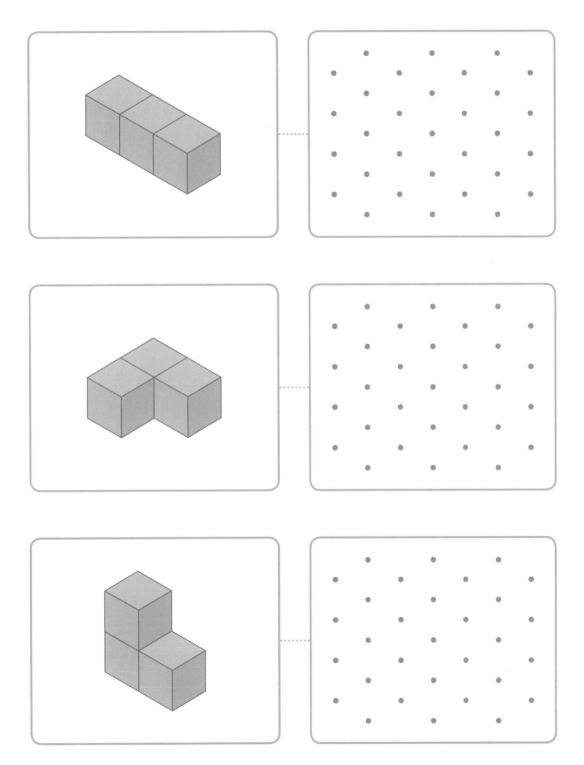

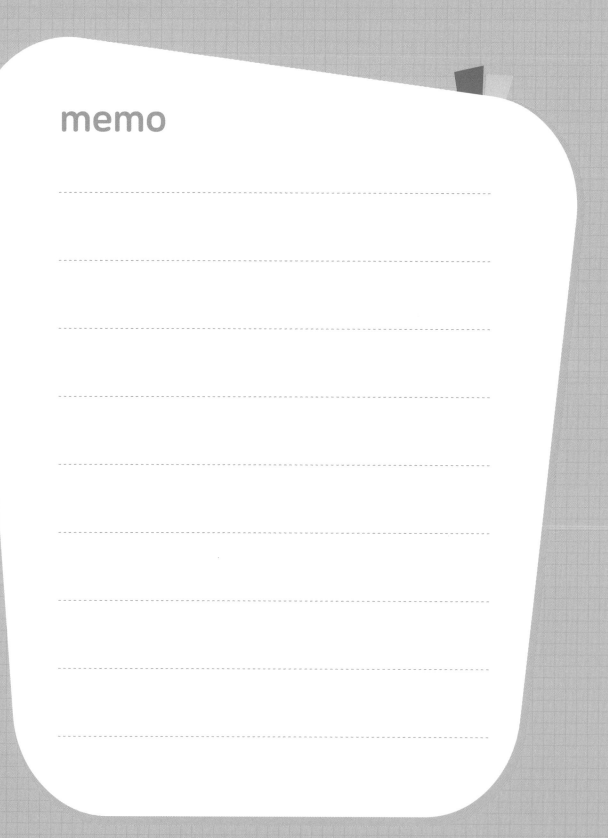

memo

형성평가

1 쌓을 수 있는 모양에 모두 ◯표 하세요.

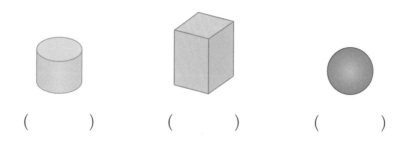

(   )   (   )   (   )

2 ◯ 모양에 대한 설명입니다. 바른 말에 ◯표, 틀린 말에 ✕표 하세요.

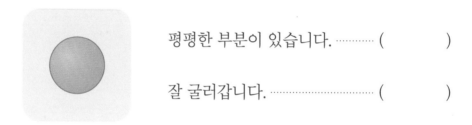

평평한 부분이 있습니다. ·········· (   )

잘 굴러갑니다. ···················· (   )

3 둥근 부분이 있는 것과 없는 것으로 분류합니다. 빈칸에 알맞게 번호를 써넣으세요.

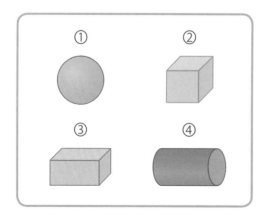

둥근 부분이 있는 것	둥근 부분이 없는 것

4 설명에 맞는 모양에 ◯표 하세요.

> • 둥근 부분이 있습니다.
> • 쌓을 수 있습니다.

5 모양을 만드는 데 가장 많이 이용한 모양에 ◯표 하세요.

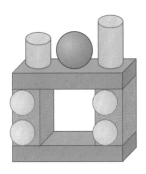

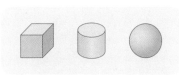

6 설명대로 만든 모양에 ◯표 하세요.

> ◯ 모양 아래에 ▱ 모양이 있고, ▱ 모양 오른쪽에 ▯ 모양이 있습니다.

1 둥근 부분이 있는 모양에 모두 ◯표 하세요.

(   )   (   )   (   )

2 잘 굴러가는 것은 모두 몇 개일까요?

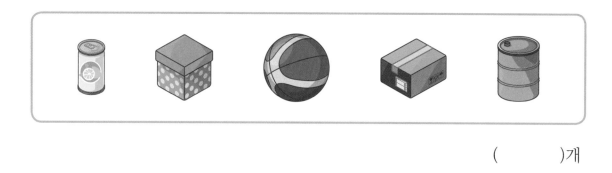

(   )개

3 다음과 같이 분류했습니다. 타이어는 ①과 ② 중 어디에 들어가야 할까요?

쌓을 수 있는 것	쌓을 수 없는 것
①	②

(   )

4 ▢모양 **2**개, ▢모양 **3**개, ⬤ 모양 **1**개를 이용하여 만든 모양에 ○표 하세요.

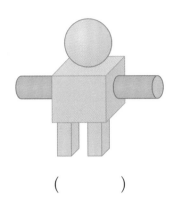

(   )

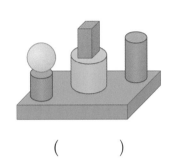

(   )

5 모양별로 몇 개씩 이용했는지 세어 보세요.

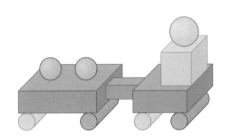

▢ 모양: (   )개

▢ 모양: (   )개

⬤ 모양: (   )개

6 알맞은 말에 ○표 하세요.

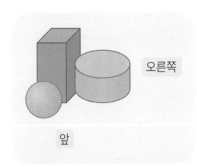

오른쪽

앞

⬤ 모양 (앞 , 뒤)에 ▢ 모양이 있습니다.

▢ 모양 오른쪽에 (▢ , ⬤) 모양이 있습니다.

memo

하루 한 장 60일 집중 완성

교과도형 정답

초1

A1

여러 가지 입체 모양

측정 measurement

표현 expression

감각 sense

에듀히어로
Edu HERO

정답

A1
여러 가지 입체 모양

1주차 모양의 특징

01일 모양 구분하기

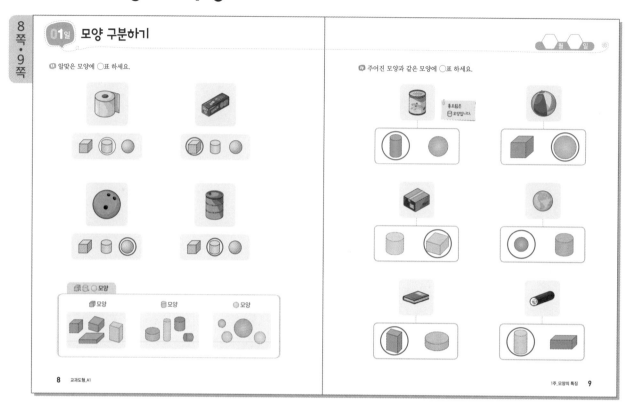

02일 쌓을 수 있는 모양

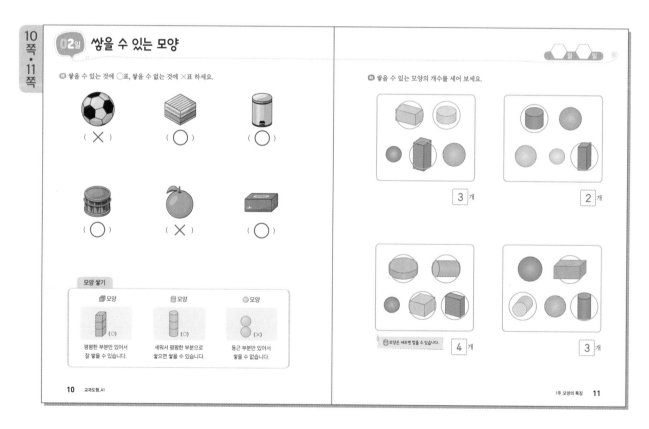

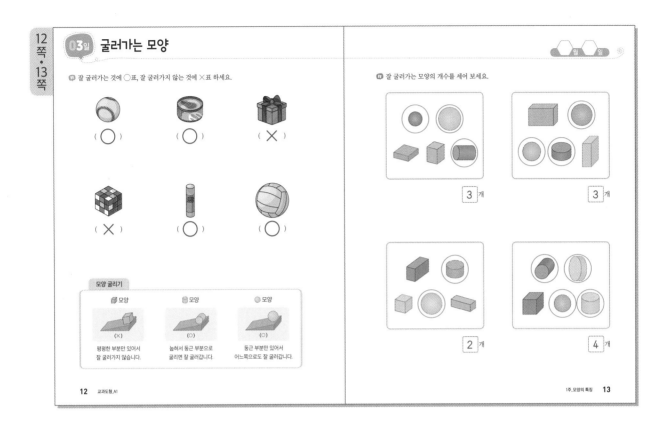

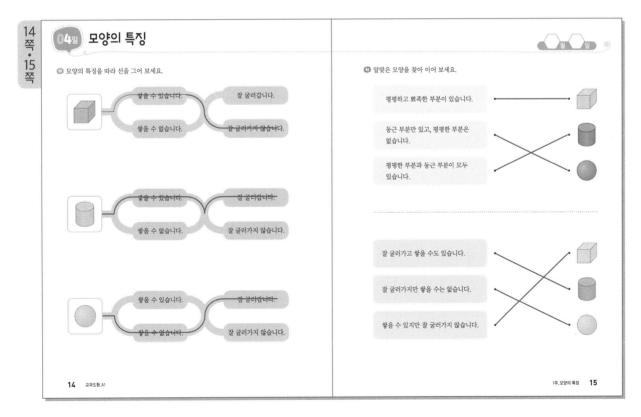

정답

05일 물건의 모양

주 일

❶ 물음에 답하세요.

① ② ③
④ ⑤ ⑥

평평한 부분만 있는 것의 번호를 모두 써 보세요. ② , ③

평평한 부분만 있는 것은 🗄 모양입니다.

둥근 부분만 있는 것의 번호를 모두 써 보세요. ⑤ , ⑥

둥근 부분만 있는 것은 ● 모양입니다.

평평한 부분과 둥근 부분이 모두 있는 것의 번호를 모두 써 보세요. ① , ④

평평한 부분과 둥근 부분이 모두 있는 것은 🗄 모양입니다.

❶ 물음에 답하세요.

쌓을 수 있는 것은 모두 몇 개일까요? 4 개

쌓을 수 있는 것은 🗄 , 🗄 모양입니다.

잘 굴러가는 것은 모두 몇 개일까요? 4 개

잘 굴러가는 것은 🗄 ● 모양입니다.

쌓을 수 있지만 잘 굴러가지 않는 것은 모두 몇 개일까요? 2 개

쌓을 수 있지만 굴러가지 않는 것은 🗄 모양입니다.

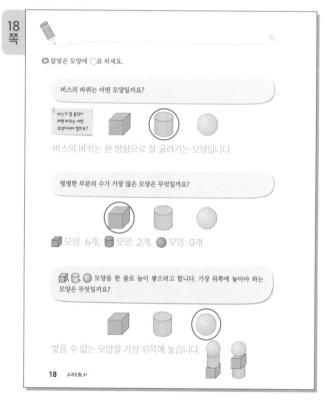

❶ 알맞은 모양에 ◯표 하세요.

버스의 바퀴는 어떤 모양일까요?

버스가 잘 움직이려면 바퀴는 어떤 모양이어야 할까요?

버스의 바퀴는 한 방향으로 잘 굴러가는 모양입니다.

평평한 부분의 수가 가장 많은 모양은 무엇일까요?

🗄 모양: 6개, 🗄 모양: 2개, ● 모양: 0개

🗄, 🗄, ● 모양을 한 줄로 높이 쌓으려고 합니다. 가장 위쪽에 놓아야 하는 모양은 무엇일까요?

쌓을 수 없는 모양을 가장 위쪽에 놓습니다.

[🗄, 🗄, ● 모양의 특징]

	🗄 모양	🗄 모양	● 모양
쌓기	○	○	×
굴리기	×	○ (한 방향으로 잘 굴러갑니다.)	○ (어느쪽으로도 잘 굴러갑니다.)
평평한 부분	○ (6곳)	○ (2곳)	×
둥근 부분	×	○	○
뾰족한 곳	○	×	×

2주차 모양 분류

06일 같은 모양 모으기

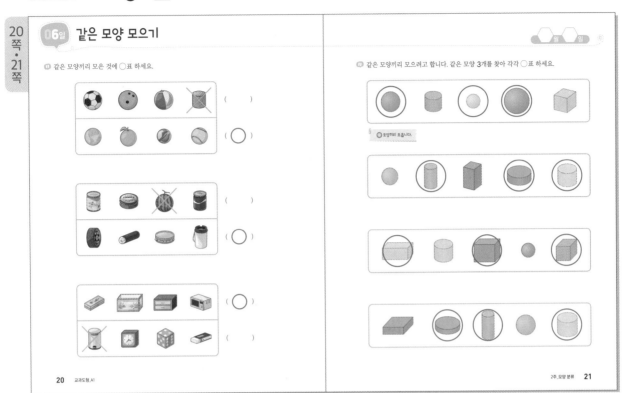

07일 같은 특징 모으기

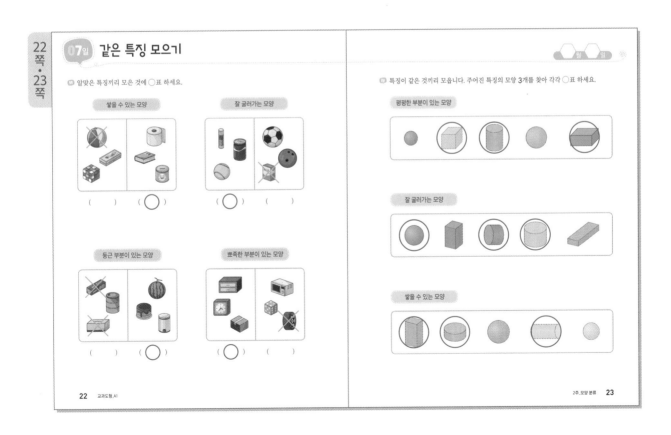

정답   **5**

08일 모양에 따른 분류

⑪ 모양에 따라 분류합니다. 빈칸에 알맞게 번호를 써넣으세요.

⬡ 모양	🗄 모양
②, ③, ⑤	①, ④

기준에 따라 나누는 것을 분류라고 합니다.

🗄 모양	◯ 모양
①, ②, ⑤	③, ④

⑫ 모양에 따라 분류했습니다. 잘못 분류한 모양을 1개씩 찾아 각각 ✕표 하세요.

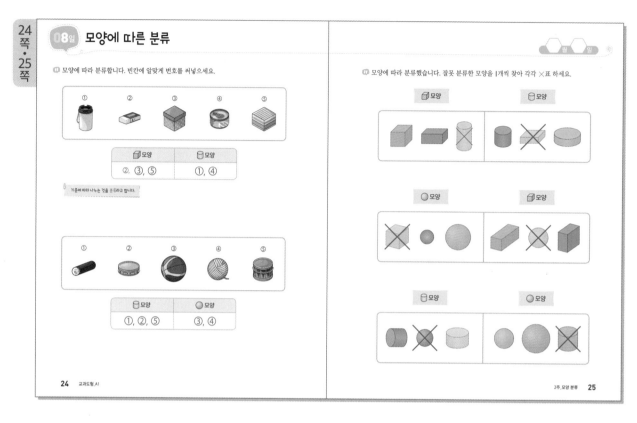

09일 특징에 따른 분류

⑪ 특징에 따라 분류합니다. 빈칸에 알맞게 번호를 써넣으세요.

쌓을 수 있는 것	쌓을 수 없는 것
①, ④, ⑤	②, ③

잘 굴러가는 것	잘 굴러가지 않는 것
①, ③, ⑤	②, ④

⑫ 특징에 따라 분류했습니다. 잘못 분류한 모양을 1개씩 찾아 각각 ✕표 하세요.

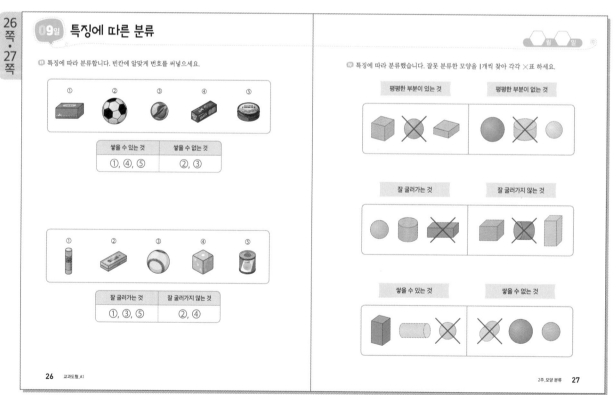

10일 여러 가지 기준

여러 가지 기준으로 분류합니다. 빈칸에 알맞게 번호를 써넣으세요.

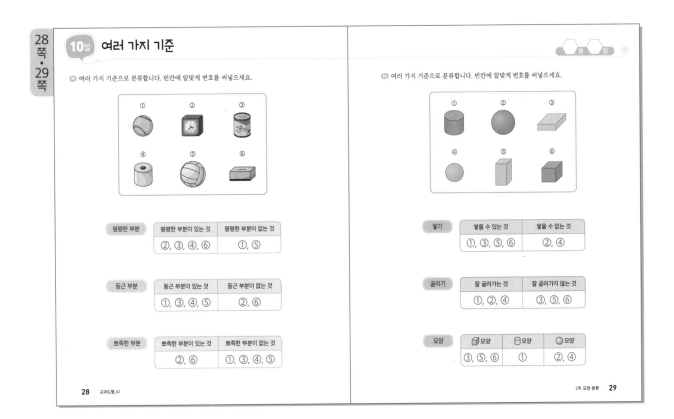

평평한 부분

평평한 부분이 있는 것	평평한 부분이 없는 것
②, ③, ④, ⑥	①, ⑤

둥근 부분

둥근 부분이 있는 것	둥근 부분이 없는 것
①, ③, ④, ⑤	②, ⑥

뾰족한 부분

뾰족한 부분이 있는 것	뾰족한 부분이 없는 것
②, ⑥	①, ③, ④, ⑤

여러 가지 기준으로 분류합니다. 빈칸에 알맞게 번호를 써넣으세요.

쌓기

쌓을 수 있는 것	쌓을 수 없는 것
①, ③, ⑤, ⑥	②, ④

굴리기

잘 굴러가는 것	잘 굴러가지 않는 것
①, ②, ④	③, ⑤, ⑥

모양

모양	모양	모양
③, ⑤, ⑥	①	②, ④

설명에 맞는 모양을 찾아 점선을 따라 그려 보세요.

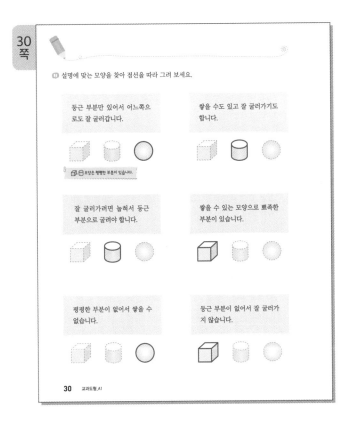

둥근 부분만 있어서 어느쪽으로도 잘 굴러갑니다.

쌓을 수도 있고 잘 굴러가기도 합니다.

모양은 평평한 부분이 있습니다.

잘 굴러가려면 눕혀서 둥근 부분으로 굴려야 합니다.

쌓을 수 있는 모양으로 뾰족한 부분이 있습니다.

평평한 부분이 없어서 쌓을 수 없습니다.

둥근 부분이 없어서 잘 굴러가지 않습니다.

정답

3주차 모양 만들기

11일 모양의 개수 (1)

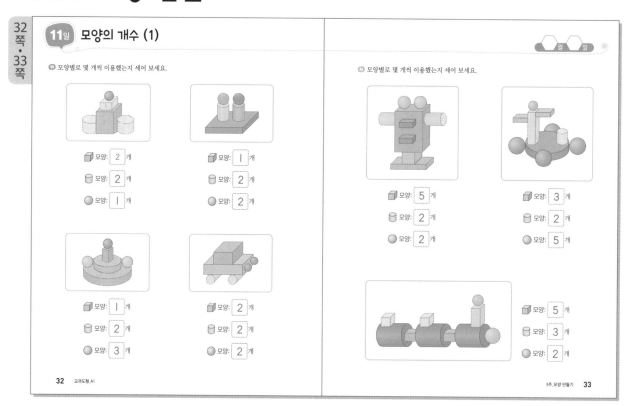

01 모양별로 몇 개씩 이용했는지 세어 보세요.

- ⬜ 모양: 2 개
- ⬛ 모양: 2 개
- ⚫ 모양: 1 개

- ⬜ 모양: 1 개
- ⬛ 모양: 2 개
- ⚫ 모양: 2 개

- ⬜ 모양: 1 개
- ⬛ 모양: 2 개
- ⚫ 모양: 3 개

- ⬜ 모양: 2 개
- ⬛ 모양: 2 개
- ⚫ 모양: 2 개

02 모양별로 몇 개씩 이용했는지 세어 보세요.

- ⬜ 모양: 5 개
- ⬛ 모양: 2 개
- ⚫ 모양: 2 개

- ⬜ 모양: 3 개
- ⬛ 모양: 2 개
- ⚫ 모양: 5 개

- ⬜ 모양: 5 개
- ⬛ 모양: 3 개
- ⚫ 모양: 2 개

12일 모양의 개수 (2)

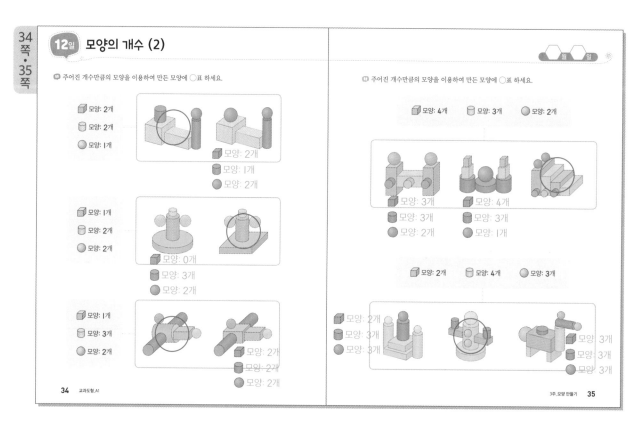

01 주어진 개수만큼의 모양을 이용하여 만든 모양에 ◯표 하세요.

- ⬜ 모양: 2개
- ⬛ 모양: 2개
- ⚫ 모양: 1개

  ⬜ 모양: 2개
  ⬛ 모양: 1개
  ⚫ 모양: 2개

- ⬜ 모양: 1개
- ⬛ 모양: 2개
- ⚫ 모양: 2개

  ⬜ 모양: 0개
  ⬛ 모양: 3개
  ⚫ 모양: 2개

- ⬜ 모양: 1개
- ⬛ 모양: 3개
- ⚫ 모양: 2개

  ⬜ 모양: 2개
  ⬛ 모양: 2개
  ⚫ 모양: 2개

02 주어진 개수만큼의 모양을 이용하여 만든 모양에 ◯표 하세요.

- ⬜ 모양: 4개 ⬛ 모양: 3개 ⚫ 모양: 2개

  ⬜ 모양: 3개   ⬜ 모양: 4개
  ⬛ 모양: 3개   ⬛ 모양: 3개
  ⚫ 모양: 2개   ⚫ 모양: 1개

- ⬜ 모양: 2개 ⬛ 모양: 4개 ⚫ 모양: 3개

  ⬜ 모양: 2개
  ⬛ 모양: 3개   ⬜ 모양: 3개
  ⚫ 모양: 3개   ⬛ 모양: 3개
                  ⚫ 모양: 3개

13일 이용한 블록

① 주어진 블록을 모두 이용하여 만든 모양에 ○표 하세요.

② 왼쪽 모양을 만드는 데 이용하지 않은 블록에 ✕표 하세요.

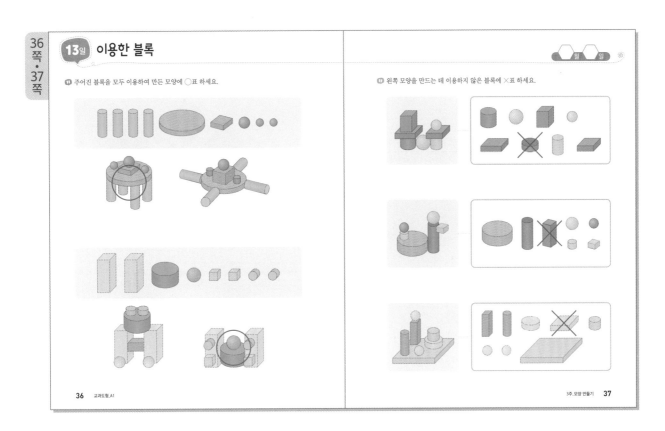

14일 완성된 모양

① 주어진 블록을 모두 이용하여 만든 모양을 찾아 이어 보세요.

② 두 그림에서 다른 곳을 3군데 찾아 오른쪽 그림에 ○표 하세요.

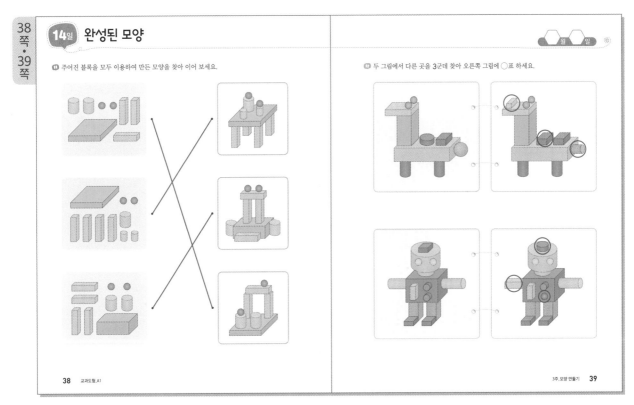

정답 **9**

정답

15일 모양 만들기

월 일

🗊 물음에 답하세요.

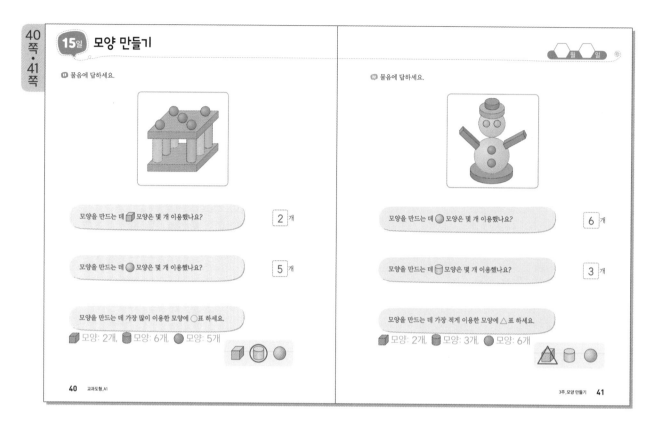

모양을 만드는 데 🧊 모양은 몇 개 이용했나요?   [2]개

모양을 만드는 데 ⬤ 모양은 몇 개 이용했나요?   [5]개

모양을 만드는 데 가장 많이 이용한 모양에 ○표 하세요.
🧊 모양: 2개, 🛢 모양: 6개, ⬤ 모양: 5개

🗊 물음에 답하세요.

모양을 만드는 데 ⬤ 모양은 몇 개 이용했나요?   [6]개

모양을 만드는 데 🛢 모양은 몇 개 이용했나요?   [3]개

모양을 만드는 데 가장 적게 이용한 모양에 △표 하세요.
🧊 모양: 2개, 🛢 모양: 3개, ⬤ 모양: 6개

40 교과도형_A1

3주_모양 만들기 41

🗊 하은이와 민재가 만든 모양입니다. 물음에 답하세요.

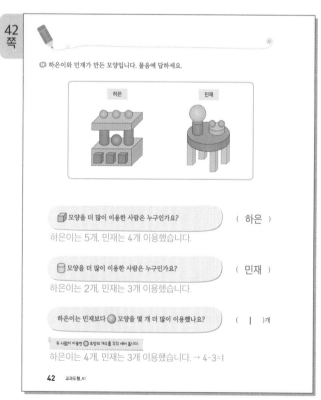

하은   민재

🧊 모양을 더 많이 이용한 사람은 누구인가요?   (하은)

하은이는 5개, 민재는 4개 이용했습니다.

🛢 모양을 더 많이 이용한 사람은 누구인가요?   (민재)

하은이는 2개, 민재는 3개 이용했습니다.

하은이는 민재보다 ⬤ 모양을 몇 개 더 많이 이용했나요?   (Ⅰ)개

두 사람이 이용한 ⬤ 모양의 개수를 각각 세어 봅니다.
하은이는 4개, 민재는 3개 이용했습니다. → 4-3=1

42 교과도형_A1

10 교과도형_A1

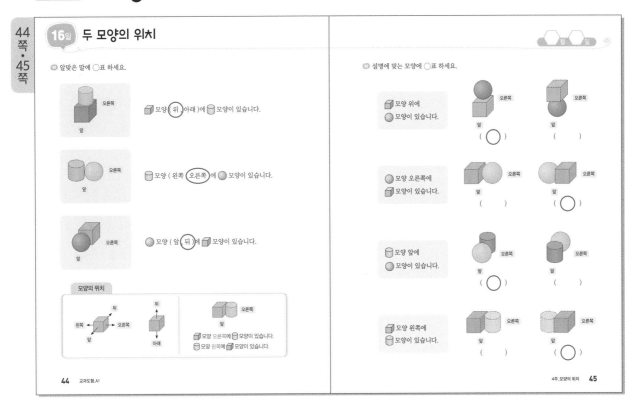

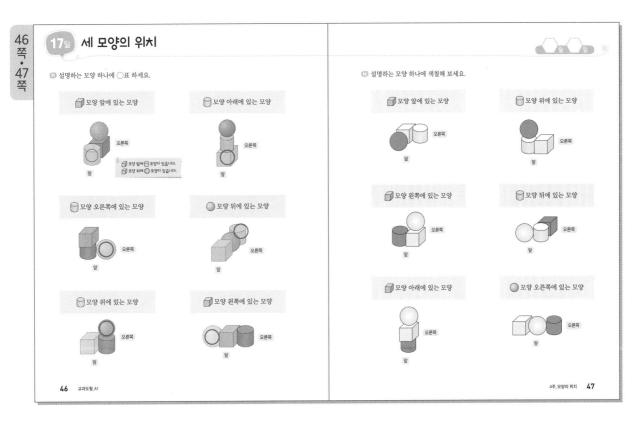

정답

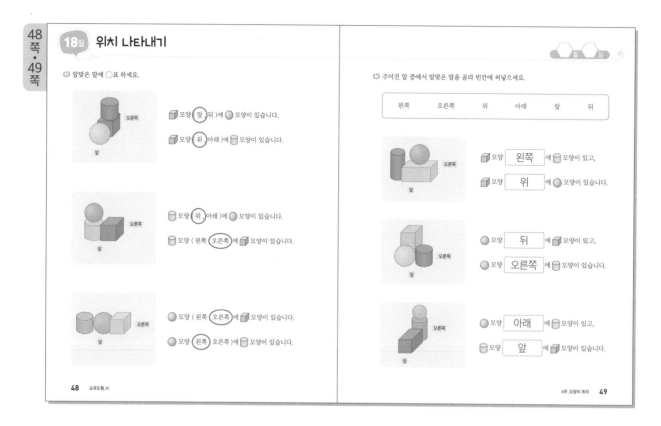

18일 위치 나타내기

알맞은 말에 ◯표 하세요.

◻모양 ((앞) 뒤)에 ◯모양이 있습니다.

◻모양 ((위) 아래)에 ◻모양이 있습니다.

◯모양 ((위) 아래)에 ◯모양이 있습니다.

⬤모양 (왼쪽 (오른쪽))에 ◻모양이 있습니다.

◯모양 (왼쪽 (오른쪽))에 ◻모양이 있습니다.

◯모양 ((왼쪽) 오른쪽)에 ◻모양이 있습니다.

48   교과도형_A1

주어진 말 중에서 알맞은 말을 골라 빈칸에 써넣으세요.

| 왼쪽 | 오른쪽 | 위 | 아래 | 앞 | 뒤 |

◻모양 왼쪽 에 ◻모양이 있고,

◻모양 위 에 ◯모양이 있습니다.

◯모양 뒤 에 ◻모양이 있고,

◯모양 오른쪽 에 ◻모양이 있습니다.

◯모양 아래 에 ◻모양이 있고,

◻모양 앞 에 ◻모양이 있습니다.

4주_모양의 위치   49

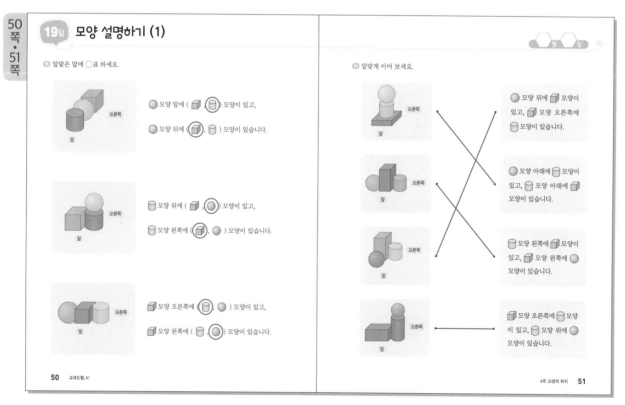

19일 모양 설명하기 (1)

알맞은 말에 ◯표 하세요.

⬤모양 앞에 (◻ (◯))모양이 있고,

⬤모양 뒤에 ((◻) ◻)모양이 있습니다.

◻모양 위에 (◻ (◯))모양이 있고,

◻모양 왼쪽에 ((◻) ◻)모양이 있습니다.

◻모양 오른쪽에 ((◻) ⬤)모양이 있고,

◻모양 왼쪽에 (◻ (◯))모양이 있습니다.

50   교과도형_A1

알맞게 이어 보세요.

⬤모양 뒤에 ◻모양이 있고, ◻모양 오른쪽에 ◻모양이 있습니다.

◯모양 아래에 ◻모양이 있고, ◻모양 아래에 ◻모양이 있습니다.

◻모양 왼쪽에 ◻모양이 있고, ◻모양 왼쪽에 ◯모양이 있습니다.

◻모양 오른쪽에 ◯모양이 있고, ◻모양 위에 ⬤모양이 있습니다.

4주_모양의 위치   51

20일 모양 설명하기 (2)

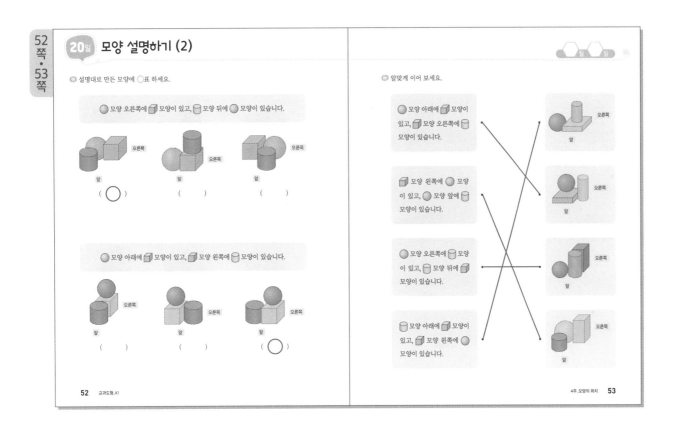

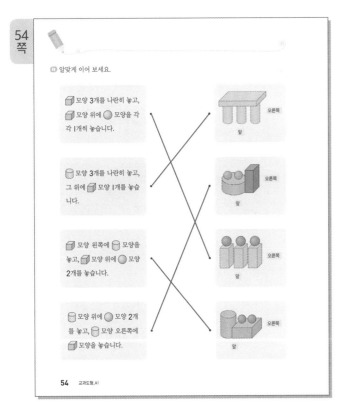

정답

도형 플러스 + 쌓기나무

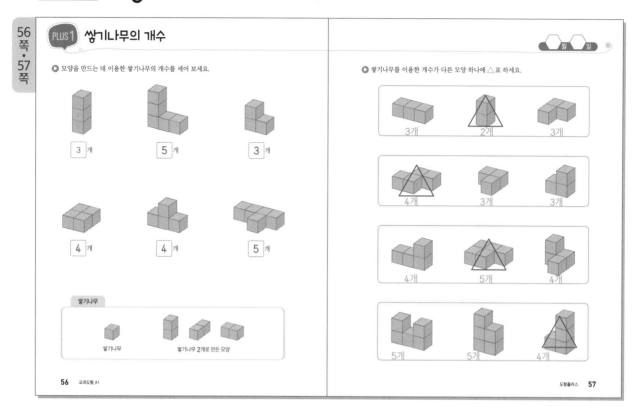

PLUS 1 쌓기나무의 개수

▶ 모양을 만드는 데 이용한 쌓기나무의 개수를 세어 보세요.

3 개   5 개   3 개

4 개   4 개   5 개

쌓기나무

쌓기나무   쌓기나무 2개로 만든 모양

▶ 쌓기나무를 이용한 개수가 다른 모양 하나에 △표 하세요.

3개   2개   3개

4개   3개   3개

4개   5개   4개

5개   5개   4개

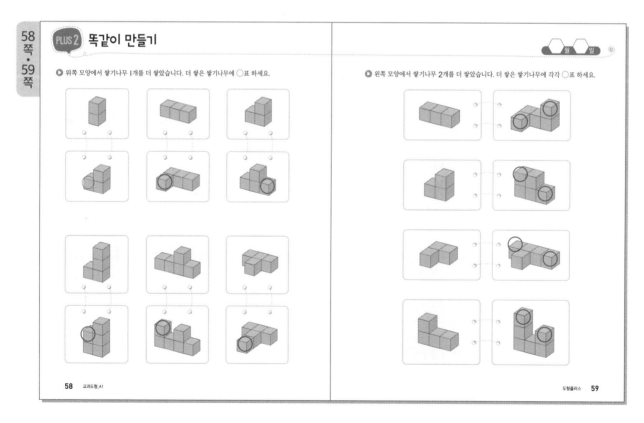

PLUS 2 똑같이 만들기

▶ 위쪽 모양에서 쌓기나무 1개를 더 쌓았습니다. 더 쌓은 쌓기나무에 ○표 하세요.

▶ 왼쪽 모양에서 쌓기나무 2개를 더 쌓았습니다. 더 쌓은 쌓기나무에 각각 ○표 하세요.

PLUS 3 쌓기나무 그리기

월 일

▶ 쌓기나무로 만든 모양을 똑같이 그려 보세요.

▶ 쌓기나무로 만든 모양을 똑같이 그려 보세요.

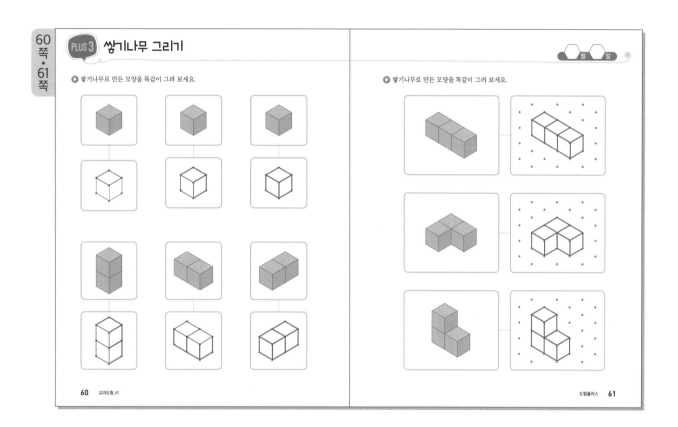

64
쪽
·
65
쪽

형성평가 1회

맞힌 문항 수 : _____ 문항 / 6문항

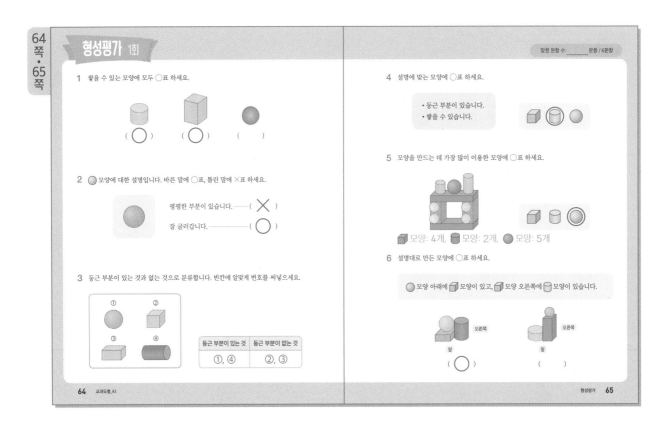

1 쌓을 수 있는 모양에 모두 ○표 하세요.

(○)   (○)   ( )

2 ○ 모양에 대한 설명입니다. 바른 말에 ○표, 틀린 말에 ✕표 하세요.

평평한 부분이 있습니다. ·········· (✕)

잘 굴러갑니다. ·········· (○)

3 둥근 부분이 있는 것과 없는 것으로 분류합니다. 빈칸에 알맞게 번호를 써넣으세요.

①   ②
③   ④

둥근 부분이 있는 것	둥근 부분이 없는 것
①, ④	②, ③

4 설명에 맞는 모양에 ○표 하세요.

· 둥근 부분이 있습니다.
· 쌓을 수 있습니다.

(○)

5 모양을 만드는 데 가장 많이 이용한 모양에 ○표 하세요.

■ 모양: 4개, ▮ 모양: 2개, ● 모양: 5개

(○)

6 설명대로 만든 모양에 ○표 하세요.

● 모양 아래에 ▮ 모양이 있고, ■ 모양 오른쪽에 ● 모양이 있습니다.

오른쪽   오른쪽
앞   앞
(○)   ( )

64 교과도형_A1

형성평가 65

66
쪽
·
67
쪽

형성평가 2회

맞힌 문항 수 : _____ 문항 / 6문항

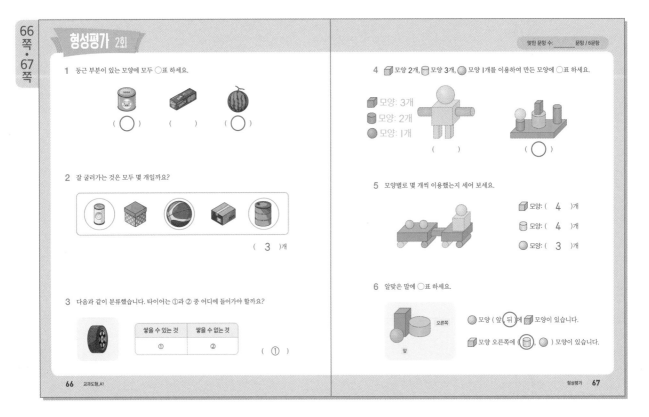

1 둥근 부분이 있는 모양에 모두 ○표 하세요.

(○)   ( )   (○)

2 잘 굴러가는 것은 모두 몇 개일까요?

(3)개

3 다음과 같이 분류했습니다. 타이어는 ①과 ② 중 어디에 들어가야 할까요?

쌓을 수 있는 것	쌓을 수 없는 것
①	②

(①)

4 ■ 모양 2개, ▮ 모양 3개, ● 모양 1개를 이용하여 만든 모양에 ○표 하세요.

■ 모양: 3개
▮ 모양: 2개
● 모양: 1개

( )   (○)

5 모양별로 몇 개씩 이용했는지 세어 보세요.

■ 모양: (4)개
▮ 모양: (4)개
● 모양: (3)개

6 알맞은 말에 ○표 하세요.

오른쪽
앞

● 모양 (앞 , 뒤)에 ■ 모양이 있습니다.

■ 모양 오른쪽에 (▮ , ●) 모양이 있습니다.

66 교과도형_A1

형성평가 67

16   교과도형_A1